la **sirenita**

the little **mermaid**

Published by Scholastic Inc., 90 Old Sherman Turnpike, Danbury, Connecticut 06816,
by arrangement with Combel Editorial.

ISBN 0-545-03032-3

12 11 10 9 8 7 6 5 4 3 2 1   6 7 8 9 10 11/0

 Printed in the U.S.A.

First Scholastic printing, May 2007

la **sirenita**
the little **mermaid**

Adaptación/*Adaptation* Darice Bailer
Ilustraciones/*Illustrations* Irene Bordoy
Traducción/*Translation* Madelca Domínguez

SCHOLASTIC INC.
New York Toronto London Auckland Sydney
Mexico City New Delhi Hong Kong Buenos Aires

Había una vez un rey viudo que vivía con sus seis hermosas hijas en un castillo de coral en el fondo del mar. La más joven de las hijas era la más linda de todas y tenía una voz muy hermosa. Cuando la sirenita cantaba, cautivaba a todas las criaturas del mar.

——— ∞∞∞ ———

Once upon a time, a widowed sea King lived in a coral castle with six beautiful daughters. The youngest daughter was the prettiest and had a lovely voice. When the little mermaid sang, she endeared herself to every creature.

La joven princesa sentía mucha curiosidad por el mundo que existía más allá del mar, sobre todo por las historias que le contaba su abuela.

—Un día, cuando cumplas quince años, podrás nadar hasta la superficie y verlo todo tú misma —le dijo su abuela.

The little Princess was curious about the world above her, especially after hearing stories from her grandmother.

"One day, when you turn fifteen, you can go to the surface and see it for yourself," her grandmother said.

La sirenita se moría de ganas por conocer ese mundo. Los años pasaron lentamente hasta que tuvo la edad suficiente para nadar hasta la superficie.

Pero antes de hacerlo, su padre le advirtió.

—Respira el aire y mira las estrellas, pero recuerda que nuestro mundo está en el fondo del mar.

The little mermaid couldn't wait. The years slowly passed until she was old enough to go.

Before she swam to the surface, her father warned, "Breathe the air and see the stars, but remember that our world is here."

Con la cabeza fuera del agua por primera vez, la sirenita miró extasiada todo lo que había a su alrededor. Vio pájaros graznando encima de un barco. Se acercó al barco y vio a un apuesto príncipe en la cubierta. No parecía mucho mayor que ella. La sirenita se enamoró de él.

—◦◦◦—

With her head above water for the first time, the sea Princess took a long look around. She saw birds cawing above a ship. She swam closer to the boat and saw a handsome young Prince standing on deck. He didn't look much older than she. The mermaid couldn't take her eyes off him.

De pronto, el sol desapareció y los relámpagos alumbraron el cielo gris. Las olas chocaban contra el barco y lo zarandeaban con tal fuerza que el príncipe cayó al agua.

"No puede nadar", pensó la sirenita y se sumergió para salvarlo.

Suddenly, the sun disappeared and lightning flashed across the gray sky. Waves crashed against the boat and pitched it high and low until the Prince tumbled overboard.

He can't swim! *thought the mermaid, and she dove to rescue him.*

El príncipe habría muerto si la sirenita no lo hubiera rescatado y llevado hasta la playa. Lo recostó con mucho cuidado sobre la suave arena y lo besó en la frente.

———∘∘∘———

The Prince would have drowned in that stormy sea if the mermaid hadn't swooped him up and carried him to shore. Laying him tenderly down on the soft sand, the little mermaid kissed the Prince's forehead.

"Si yo fuera una muchacha de verdad, me casaría con él", pensó la sirenita.

Fue a ver a una vieja bruja que vivía en el fondo del mar, que quizás la pudiera ayudar.

—Si me das tu voz, te daré una poción que convertirá tu cola en piernas —dijo la bruja—. Pero si el príncipe no se enamora de ti, te convertirás en espuma.

If only I could be a real girl and marry him, *the little mermaid thought. She swam to see a magical, old sea witch who might be able to help her.*

"If you give me your voice, I'll give you a potion that will turn your tail into legs," the witch said. "But if the Prince doesn't love you back, you will turn into sea foam."

La sirenita aceptó el trato. Después de tomar la poción, se despertó en la playa y vio que el príncipe la miraba fijamente.

—¿Quién eres? —le preguntó el príncipe—. Te pareces a la muchacha que me salvó la vida. Me enamoré de ella y la he estado buscando por todas partes.

The mermaid agreed. After drinking the witch's potion, she awoke on shore to see the Prince gazing into her eyes.

"Who are you?" he asked. "You look like the girl who rescued me. I fell in love with her and have been looking everywhere for her!"

Sin su voz, la sirenita no le pudo decir al príncipe que ella lo había salvado.

El príncipe se casó con otra muchacha y la sirenita estaba tan triste que casi no pudo escuchar a sus hermanas que la llamaban desde el océano.

—La bruja nos dijo que si matas al príncipe volverás a ser una sirena y podrás vivir con nosotras de nuevo —le dijeron.

Without a voice, the little mermaid couldn't tell the Prince that she had rescued him.

The Prince married someone else, making the little mermaid so sad she hardly heard her sisters calling her from the ocean below.

"The sea witch told us that if you kill the Prince, you can become a mermaid and live with us again!" they said.

Pero la sirenita no le podía hacer daño a la persona que amaba. Se acordó de lo que la bruja le había dicho y comenzó a llorar. Ahora no podría estar cerca del príncipe y tampoco podría volver al mar. La sirenita no sabía qué hacer, así que saltó al agua.

―∽∽∽―

But the mermaid could never hurt the Prince she loved. She remembered the sea witch's warning and began to cry. She could not be with the Prince and could not become a mermaid again. The little mermaid didn't know what else to do so she jumped overboard.

De pronto, tres hermosas hadas del viento la sacaron del agua.

—Porque eres una sirenita tan buena, vivirás con nosotras en nuestro reino —le dijeron las hadas.

La sirenita sonrió y vivió muy feliz con las hadas.

Suddenly the little mermaid was carried out of the water by three beautiful wind fairies!

"Because you were such a good little mermaid you shall live with us in our kingdom," the fairies said.

The little mermaid smiled and lived happily ever after with the fairies.